PICTURE OVERLEAF: The head of St. Luke, detail from the lectern in the Stadtpfarrkirche, Freudenstadt (c. 1150; formerly in Alpirsbach).

PHOTO AU VERSO: La tête de Saint Luc, détail du lutrin (c. 1150) dans la Stadtpfarrkirche à Freudenstadt, originaire d'Alpirsbach.

Baden-Wuerttemberg

A panorama in color
Un panorama en couleurs

Texts by / Textes par
Wolfgang Martin Schede

Umschau Verlag
Frankfurt am Main

English translation by Betty Poole
Traduction française par Felix Cambon et Albert Vidal, dr. phil.

Printed by Brönners Druckerei Breidenstein KG, Frankfurt on Main
Bound by Wennberg GmbH, Stuttgart

A Young State on Old Soil

The pictures in this book give a cross-section of that part of Germany which the first President of Federal Germany — himself one of its sons — described as a 'model of what is possible in Germany'. This is the federal state — in German *Land* — Baden-Württemberg, a political unit created after the Second World War, whose distinctive elements could look back on a long past. What the people of Baden once proudly called *their* 'Ländle' and the Swabians called *their* 'Schwabeland' each must now see as equal parts of a larger whole. It is not always easy for them. The tendency to separatism inherent in all Germans is difficult to overcome, but to overcome it in the interests of a wider, a European outlook is a task well worth the struggle. It is very easy to emphasise the points of difference, but it is much more fruitful to contemplate the common links.

The binding link here, as everywhere, is the tangible, the near-at-hand—the soil. The soil on which flourishes all that man needs for life, on which he builds his houses and factories, the soil on which his children grow up.

A glance at the map of the Federal Republic of Germany shows that this 'double' *Land*, originally sometimes disparaged as an artificially constructed unit, is in fact a compact geographical complex, a harmonious whole consisting of mountain, valley and river landscapes tucked into the south-west corner of Germany. Its boundaries are almost entirely natural; in the south and west Lake Constance and the Rhine, in the north the Odenwald, to the east the valley of the Tauber, the slopes of the Swabian forest and the Swabian Alb and, from Ulm onwards, the River Iller whose course marks the *Land* off from the Bavarian part of the Allgäu, rounding back to Lake Constance. This compact area is larger than Holland or Belgium, and one of its most significant features is that it consists to ninety percent of agricultural land and forest. Baden-Württemberg is, then, not only a 'model of what is possible in Germany' in a political sense but also from a consideration of the diverse modes of life it offers its inhabitants.

The Black Forest is south-west Germany's largest lumberyard and the center of the wood processing industries. The Swabian Alb, a region not favored by Nature with a particularly good climate or soil, possesses one of the oldest stud farms in Germany, and it is turning more and more to pig and

cattle breeding. Within the deltoid enclave with the tip pointing to the south, formed by the Black Forest and the Swabian Alb, a broad plain opens out on which the capital town of the *Land*, Stuttgart, is situated; here, too, lie the other important industrial centers which have given the legendary industriousness of the Swabians world currency. The eastern edge of the *Land*, the Württemberg Allgäu, supplies two-thirds of all the cheese products of Baden-Württemberg. The western borderland, formed by the Rhine plain between Basle and Mannheim is a truly blessed stretch of country, where Spring reigns weeks earlier than elsewhere, the home of the wine which everyone who wants to savor the bouquet of the whole *Land* must get to know better.
The very thought of the *'Kaiserstuhl'* and the *'Markgräflerland'*, their most fertile vine-growing areas, makes the hearts of the people of Baden beat faster. Even when the Romans were setting up their forts along the Rhine valley, they found the beginnings of vine culture. The interchange between south and north which then developed was responsible for the introduction of noble vines into the vineyards of south-west Germany, and this contributed considerably to their prosperity. And while we are speaking of the gifts of Bacchus, we must not forget the Württemberg vine which matures on the sunny slopes of the River Neckar and its tributaries (the pride of the Swabians and the reward they like to accord themselves for their proverbial industry); nor can we neglect the contributions of the Black Forest, the world-famous *'Kirschwasser'*, the mild *'Himbeergeist'* whose flavour remains long on the tongue, and the harsher *'Wacholder'* which on raw days keeps body and soul together.
Let us take a brief and summary glance at the story of the *Land*. It goes back to prehistoric times. Beginning from the Old Stone Age (800,000 — 80,000 B. C.), with the most exciting of anthropological finds, the remains of *homo heidelbergensis*, a long path leads to the Alemanni, through the confusion of the time of the migration of peoples, on to the age of the great German royal and imperial dynasties, the rise of the rich free imperial trading cities, the reshuffling of Europe under Napoleon (in which Baden became a grand duchy and Württemberg a kingdom), and finally the unification of the two Länder after the horrors of the Second World War. The way was mostly arduous and demanded harsh sacrifices from individual and community alike before the new order came into its own. The preamble to the present Constitution says: *'In awareness of responsibility before God and man, inspired by the will to safeguard the freedom and dignity of mankind, to serve peace, to order the community according to the principles of social justice, . . . the people of Baden-Württemberg, in solemn recognition of uninfringible and inalienable human rights, have given themselves this constitution.'*
Where shall we find these people? Here, in richly forested mountain areas, whose peaks rise thousands of feet high; there, between lakes where the German sagas and fairy tales have their cradle

— along rivers and streams which from olden times have made communication with distant parts possible; in lush green valleys of great beauty; or on bleak highland where every inch of soil must be laboriously won for cultivation. They live in cities pregnant with history and rich in stone memorials to the past, in townships and villages in which old architecture, old customs, and traditions have remained alive; they work in modern research institutes and in industrial centers, where many of them commute daily. They live for the day, prepared to work as small cogs in the common wheel. Last but not least, they live in the spell of their great thinkers and writers — men like Philipp Melanchthon, Heinrich Seuse, Fridank, Schiller, Hölderlin, List, and Hegel — a brilliant constellation of men whose work and thought have contributed to the heritage of our own century and of those to come. Memories of more recent times play their part, too, memories of upright men who in the past years of terror courageously stood firm against usurping force, men such as Eugen Bolz, Count von Stauffenberg, and Reinhold Frank.

This people, living in a young province on old soil, bearer of an ancient history and new hopes, can pride itself on being keeper of a treasure-trove among the German *Länder*. Wherever it is, whether the old cuckoo-clock, carefully carved by a grandfather, ticks in a Black Forest parlor, or the elegant needle of the Television Tower in Stuttgart broadcasts news throughout the *Land*, whether the wood-saw screeches in a mill on a Black Forest stream to cut planks 'for cradle and bier', or hundreds of hands at the assembly line of a large industrial concern in Württemberg work together to mount all the different parts of a highly modern automobile — everywhere, this people is harnessed between the two poles of past and future, and the present is active, human, and productive.

Pays jeune dans un vieux terroir

Les pages illustrées de ce livre montrent une coupe faite à travers le pays dont le premier président de la République fédérale, Théodore Heuss, lui-même originaire de ce pays, a dit un jour qu'il est le «modèle des possibilités allemandes». C'est le Pays fédéré de Bade-Wurtemberg, Etat né après la deuxième guerre mondiale, dont les éléments sont déjà riches d'une longue histoire. Ce que les Badois appelaient jadis avec fierté leur «Ländle» et ce que les Wurtembergeois nommaient leur «Schwabeland», ils peuvent le considérer maintenant comme des parties égales en droits d'un tout plus considérable. Cela ne leur est pas toujours facile. Chez nous Allemands, la tendance au particularisme est innée, et, du point de vue d'une pensée plus large à l'échelle européenne, le dépassement de cette tendance est pour nous une tâche digne de tous nos efforts. Il est certes si facile de souligner les facteurs qui séparent, mais combien il est plus fructueux de réfléchir à ce qui nous unit!
Ce qui réunit ici est, comme partout, le palpable, la proximité, le terroir. Le sol où prospère ce dont l'homme a besoin pour vivre, le sol sur lequel il édifie ses maisons et ses ateliers, le sol sur lequel grandissent ses enfants. Un regard jeté sur la carte de la République fédérale d'Allemagne nous montre que ce nouvel état double, raillé de temps à autre au début, et traité de «construction artificielle», représente effectivement un ensemble solide et ramassé, une unité de montagnes, vallées et fleuves, blotti dans le coin sud-ouest de l'Allemagne. Ses frontières sont presque entièrement fixées par la nature: au sud et à l'ouest lac de Constance et Rhin, au nord l'Odenwald, à l'est le bassin de la Tauber, les pentes de la forêt de Souabe, des hauteurs appelées «Schwäbische Alb», et, à partir d'Ulm, l'Iller, avec le cours de laquelle la limite s'arrondit face à la partie bavaroise de l'Allgäu, et enfin en direction du lac de Constance. Cet espace compact comprend plus de superficie que les Pays-Bas ou la Belgique, et une de ses caractéristiques les plus importantes est que quatre-vingt-dix pour cent de cette superficie sont terre arable ou forêts. Le pays de Bade-Wurtemberg n'est donc pas seulement au point de vue politique un «modèle des possibilités allemandes», mais aussi en fonction des conditions variées de vie que cette région offre à ses habitants.
La Forêt-Noire est le grand entrepôt de bois de l'Allemagne du sud-ouest et ainsi il est le centre des industries de transformation du bois. La «Schwäbische Alb» en Souabe, qui n'est pas particulière-

ment favorisée sous le rapport du sol et du climat, abrite un des haras les plus anciens d'Allemagne et s'oriente de plus en plus vers l'élevage porcin et bovin. Dans le delta que forment Forêt-Noire et Schwäbische Alb, avec la pointe au sud, s'ouvre la large plaine dans laquelle se trouvent la capitale de l'Etat, Stuttgart, et les autres centres industriels importants qui ont conféré au légendaire «labeur souabe» une réputation mondiale. Le territoire frontalier oriental, l'Allgäu wurtembergeois, fournit les deux tiers de tous les produits fromagers de Bade-Wurtemberg. La frange occidentale, formée par la plaine du Rhin entre Bâle et Mannheim, est une contrée vraiment bémie, où le printemps se manifeste plusieurs semaines en avance par rapport aux autres contrées. C'est ici que, dans des vignobles réputés très loin à la ronde, mûrit un vin qu'il faut découvrir si l'on veut humer un peu de l'arôme de tout ce pays.
Le cœur du Badois bat à coups plus précipités quand il pense au Kaiserstuhl et au Pays du Margrave (Markgräflerland), régions viticoles les plus fertiles.
Quand les Romains s'installèrent dans leurs camps disposés le long du fleuve, ils trouvèrent déjà ici le début de la viticulture. Le vignoble du sud-ouest de l'Allemagne est redevable aux relations entretenues entre Nord et Sud, dans les deux sens, de s'être enrichi de cépages nobles, et cela contribua beaucoup à son bien-être. Mais si nous nous attardons en ce moment aux dons de Bacchus, nous nous devons de ne pas oublier les vins du Wurtemberg, qui mûrissent sur les coteaux ensoleillés des bords du Neckar et de ses affluents (qui sont la fierté des Souabes et avec lesquels ils ont coutume de récompenser bien volontiers leur propre ardeur au travail, devenue proverbiale), ainsi que les dons de la Forêt-Noire, le kirsch de réputation mondiale, l'eau-de-vie de framboise, dont l'arome reste longtemps sur la langue, et le genièvre sec, qui les jours de gros temps maintient bien ensemble corps et âme.
Un bref regard sommaire encore sur l'histoire du pays. Elle remonte très loin dans la préhistoire. A partir de la première époque de l'âge de la pierre (de 800.000 à 80.000 av. J. C.), avec la trace la plus ancienne d'un homme en Europe, les restes de *l'Homo heidelbergensis*, en passant par les Alamans, les désordres des grandes invasions, ensuite par les grandes dynasties allemandes royales et impériales, l'époque de l'essor des villes libres d'Empire, enrichies par le commerce, jusqu'à la refonte napoléonienne de l'Europe (lorsque le pays de Bade devint grand-duché et le Wurtemberg royaume), c'est un chemin très long qui conduit à la réunion des deux pays après les horreurs de la deuxième guerre mondiale. Cette voie a été le plus souvent ardue, et les sacrifices ont été lourds qui ont été imposés à la communauté comme aux individus jusqu'au moment où l'ordre nouveau a pu entrer dans l'exercice de ses droits. Dans le préambule de la Constitution il est écrit: *Conscient de sa responsabilité devant Dieu et devant les hommes, animé par la volonté d'assurer la liberté et la dignité de l'homme, de servir la paix, d'ordonner la communauté d'après le principe de la justice*

sociale . . . le peuple de Bade-Wurtemberg s'est donné cette constitution, en faisant solennellement profession des droits de l'homme inviolables et inaliénables.
Mais où vit ce peuple? Il habite tantôt ici dans des régions montagneuses qui culminent à plus de mille mètres, tantôt là entre des lacs hantés par les contes et légendes allemands — au bord de fleuves et de rivières qui de tout temps lui ont permis de communiquer avec les pays lointains, dans des vallées à l'opulence de paradis ou sur des chaînes de hauteurs bien pauvres, où chaque pan de terre a dû être défriché au prix d'un pénible travail. Il vit dans des villes lourdes d'histoire et riches de témoignages du passé consignés dans la pierre, dans des bourgades et des villages où se maintiennent encore vivants les vieilles constructions, mœurs et usages, il travaille dans les centres de la recherche moderne et dans les entreprises industrielles, où la main-d'œuvre se rend souvent de très loin tous les jours. Il vit la vie d'aujourd'hui, prêt à exécuter son travail pour le bien de la communauté tout entière. Mais toutefois, d'une façon non négligeable, ce peuple vit aussi sous l'influence de ses penseurs et de ses poètes — d'un Philippe Mélanchthon, d'un Henri Seuse, d'un Schiller, d'un Fridank, Hölderlin, List et Hegel —, dans un cercle distingué d'hommes, dont le labeur et la pensée ont participé à l'élaboration de notre siècle et des siècles à venir. A cela s'ajoutent des souvenirs plus récents, souvenirs d'hommes intègres qui au cours des années de terreur se sont dressés contre la force usurpatrice, comme Eugène Bolz, le comte de Stauffenberg et Reinhold Frank.
Ce peuple dans son jeune Etat, sur un vieux terroir, détenteur d'une longue histoire et d'espérances nouvelles, peut se vanter d'assumer la tâche de conserver un petit trésor parmi les differents Etats allemands. Partout, que, dans les chalets de la Forêt Noire il entende le tic-tac des vieilles pendules à coucou, que le grand-père a sculptées soigneusement dans le bois, ou que, du haut de l'élégante flèche de la tour de télévision de Stuttgart, des actualités soient diffusées à travers tout le pays, ou que, au bord d'un ruisseau de la Forêt-Noire la scie à bois d'une scierie fasse entendre son hurlement et façonne des planches pour «le berceau et le cercueil», ou que des centaines de mains, le long de la chaîne de montage d'une grande usine wurtembergeoise, assemblent pièce à pièce un modèle très moderne d'automobile, ce peuple est engagé entre les pôles du passé et de l'avenir, et il vit un présent qui est actif, humain et fécond.

List of Illustrations

Liste des Illustrations

The Rems Valley

A view into the heart of Swabian country. The river Rems flows to the east of Stuttgart, the capital of the state, through charming landscape where the soil is fertile and where, from oldest times, towns both large and small have grown up. It is typical of the Swabian scene that industry and agriculture are equally represented; both bear witness to the proverbial industriousness of the Swabian people.

Vallé de la Rems

C'est un coup d'œil jeté dans le cœur de la Souabe. La rivière de Rems coule à l'est de Stuttgart, capitale du pays, à travers une contrée gracieuse et fertile, qui a compté de bonne heure des villes plus ou moins grandes. Agriculture et industrie s'équilibrent de façon typique en Souabe, et témoignent de l'ardeur au travail, devenue proverbiale, du Souabe.

Stuttgart, Schillerplatz

The capital of the young state of Baden-Württemberg, situated in a lateral valley of the river Neckar and surrounded by forested heights, has today a population of 632,000. Hard hit by the war, Stuttgart has rebuilt many of its historical edifices. The name Stuttgart goes back to "*Stutengarten*", the stud farm out of which the town developed from the 9th to the 11th centuries. It is the city in which Friedrich von Schiller as a young man wrote his drama "The Robbers". His monument is to be seen in the *Marktplatz* (market square) in front of the *Stiftskirche* (collegiate church).

Stuttgart, Schillerplatz

La capitale du jeune Etat de Bade-Wurtemberg, dans la valée d'un affluent du Neckar, au milieu de hauteurs boisées, compte 632000 habitants. Durement éprouvée par la guerre, la ville a reconstruit entre autres la « Maison du Roi » et le « Château-Neuf ». La ville, née du IXème au XIème s., a pour origine un haras. C'est là que le jeune Schiller, dont la statue orne le marché, écrivit « Les Brigands ».

Stuttgart by night

The view from the surrounding heights offers an enchanting picture of the town lying in a natural basin. The new residential areas have been built on the sloping sides of the valley. Here are the first city housing estates, created by such leading architects as Le Corbusier, and the spacious landscape of the Killesberg with its Exhibition Gardens.

Stuttgart nocturne

Vue des hauteurs, la ville offre une image charmante. Les nouveaux quartiers sont les versants, où se trouve aussi le premier grand ensemble urbain construit dès les années 20 par de grands architectes, dont Le Corbusier, ainsi que le vaste terrain du Killesberg avec ses expositions horticoles.

Ludwigsburg

Built in Italian *palazzo* style at the beginning of the 18 th century outside the gates of Stuttgart, and completed in rococo times, the royal residence of Ludwigsburg is one of the most attractive residences of the federal state. The palace concerts were famous in early times and are still so today. The porcelain factory founded in the town of Ludwigsburg in 1751 produced charming dinner services, which today possess high value as collector's pieces.

Ludwigsbourg

Cette résidence construite près de Stuttgart au début du XVIIIème s., dans un style de palais italien, achevée à l'époque du rococo, compte parmi les plus belles du pays. Ses concerts sont depuis toujours célèbres. Les services de table fabriqués par la manufacture de porcelaine de Ludwigsbourg, fondée en 1751, constituent de précieuses collections.

Schwäbisch Gmünd

Originally founded in A. D. 260 as an Alemannic settlement, this town is now one of the most delightful in the Rems valley. Of the town walls, erected in medieval times, five towers remain. Schwäbisch Gmünd was already famous in the 15th century for the work of its goldsmiths, and today it still produces high-class jewellery and costly sacral vessels. The picture shows the *Marktplatz* (market square) with the new *Rathaus* (Town Hall) and the *Marienbrunnen* (St. Mary's Fountain, c. 1700).

Schwäbisch Gmünd

L'ancienne cité des Alamans, de l'an 260 apr. J. C., une des villes les plus splendides de la vallée de la Rems. Cinq tours se dressent encore sur les remparts médiévaux. Les orfévres, célèbres dès le XVème s., y produisent encore des bijoux de choix et des vases sacrés. Place du Marché avec le Nouvel Hôtel de Ville et la Fontaine de la Vierge (1700 environ).

H. A. Fuhr
APOTHEKE

Schwäbisch Hall

This town, which was granted the right to hold a market in 1156, stands on an ancient Celtic settlement. Amidst beautiful framework houses, a magnificent flight of steps leads up to the Gothic church, the *Michaelskirche*. The salt springs, to which Hall owed its prosperity in ancient times, were guarded by seven forts. In the Middle Ages Schwäbisch Hall was one of the most important minting towns of the German Empire. The picture shows the bridge over the river Kocher.

Schwäbisch Hall

La ville se trouve dans une région de peuplement celtique très ancien. Entouré de belles maisons à colombages un perron grandiose conduit à l'église gothique Saint-Michel. Les sources salées, facteur de prospérité, étaient protégées de sept châteaux forts, et Schwäbisch Hall somptait parmi les villes les plus importantes où l'on battait monnaie. Photo: pont sur la Kocher.

Neresheim Abbey

Situated at the eastern edge of the Swabian Alb in a lonely region between Ulm and Nördlingen, the Abbey church of Neresheim, built in 1745 by Balthasar Neumann, sets a final crowning stone on the period of German late baroque. There is surely no other example in Germany of such harmoniously proportioned architecture of cathedral-like dimensions as this last work of the great architect.

Monastère de Neresheim

Située à l'écart entre Ulm et Nördlingen, l'église du monastère de Neresheim, édifiée par Balthasar Neumann en 1745, forme la clé de voûte de la fin du baroque allemand. L'Allemagne ne possède guère un autre exemple d'une force ordonnée aussi harmonieusement, avec des proportions de cathédrale.

Weikersheim Castle

Weikersheim Castle is situated on the Hohenlohe plain in the romantic valley of the Tauber. In the 12th century it was a moated stronghold and was then enlarged to stately splendor during the Renaissance. The Knights' Hall (c. 1600) with its boldly constructed, freely suspended coffered ceiling and, along the walls, the incredible bas-reliefs of couchant stags, whose heads jut out into the room bearing real antlers, was once the scene of scintillating feasts.

Château de Weikersheim

Situé dans la vallée romantique de la Tauber, ce château, doté de douves au XIIème s., fut agrandi au cours de la Renaissance en un ensemble de splendeur représentative. Sa salle des chevaliers, datant de 1600, avec son hardi plafond divisé en panneaux, les admirables bas-reliefs de cerfs au repos, dont les têtes, sortant complètement des cloisons, portent des ramures authentiques, vit se dérouler jadis des fêtes brillantes.

Tauberbischofsheim

Situated in the Tauber valley on the "Romantic Road", Tauberbischofsheim has preserved its characteristic appearance throughout twelve hundred years. The beautiful framework houses, the two-storied St. Sebastian's Chapel, and the impressive town gate dating from the Renaissance, point to a long past. Here, the Irish St. Lioba became abbess of the first German convent.

Tauberbischofsheim

Située au bord de la « route romantique », dans la vallée de la Tauber, Tauberbischofsheim a pu conserver intact depuis 1200 ans l'aspect de la cité. Belles maisons à colombages, la chapelle Saint-Sébastien à deux étages et imposante porte Renaissance témoigne d'un long passé. C'est ici que la sainte irlandaise Lioba devint abbesse d'un des premiers couvents d'Allemagne.

Wertheim

Wertheim lies on the confluence of the Tauber with the Main, that is, at the junction of two important waterways. Ever since the Middle Ages wine-growing and shipping have been its principal source of wealth. The Castle of the Count of Wertheim, built in 1150, towers over the town, one of the largest fortification works in Germany. Shielded by this castle, the town was able to develop compactly and harmoniously.

Wertheim

Au confluent de la Tauber et du Main, carrefour fluvial important, se trouve Wertheim, qui vit depuis le moyen âge de la viticulture et de la navigation, et que domine le château fort des comtes de Wertheim, un des plus considérables d'Allemagne, qui a permis, grâce à sa puissance, la formation d'une cité à l'ensemble compact.

Mannheim

With its extensive docks on the Rhine and the Neckar, which now deal with 30,000 ships a year, with its highly developed industry, and its population of 330,000, Mannheim has become a commercial center of economic importance. The former royal Residence, in its famous chequer-board layout, was built in the 17th century for the Elector Karl Theodor von der Pfalz. The picture shows the western approach to the Rhine bridge, which connects the town with Ludwigshafen.

Mannheim

Avec ses vastes installations portuaires sur le Rhin et le Neckar, où passent 30 000 bateaux par an, et son industrie très développée, Mannheim est devenu un centre de gravité économique, de 330 000 habitants. La résidence du Prince Electeur Karl Theodor a été construite en damier au XVII ème s. Photo: sortie ouest vers le pont du Rhin, qui conduit à Ludwigshafen.

Heidelberg

It is impossible to think of Heidelberg without thinking of it as a romantic city. Its situation and the uniquely harmonious relation of river, town, and castle still exert a magnetic charm on the hundreds of thousands of visitors who flock there every year. The castle ruins on the summit above the town are the remains of what, from the 15th to the 17th centuries, was the show-piece of royal residences in southern Germany. The equally famous university was founded in 1386.

Heidelberg

Heidelberg et romantisme sont des notions inséparables. La force d'attraction de l'accord unique qui unit site, fleuve, ville et château fait effet encore de nos jours sur des centaines de milliers de visiteurs, que Heidelberg accueile tous les ans. Le château en ruines sur la hauteur était du XVème au XVIIème s. le joyau des résidences de l'Allemagne méridionale. L'Université tout aussi célèbre date de 1386.

Bad Wimpfen

Bad Wimpfen is situated on the steeply sloping edge of a plateau above the river Neckar. The Gothic collegiate church, the two remaining towers and the splendid arcades of the castle ruins, combined with its favorable climate, make it a popular tourist resort. As one of the few medieval towns which have survived in a state of complete preservation, Bad Wimpfen is an important cultural monument.

Bad Wimpfen

Bad Wimpfen se trouve sur le bord fortement incliné d'un plateau qui descend jusqu'au Neckar. Son église collégiale gothique, les deux tours encore intactes et les splendides arcades de son château en ruines, ainsi que la situation climatique favorable font de Bad Wimpfen l'objet de maints voyages. Ville médiévale entièrement conservée, c'est un monument historique aussi rare qu'important.

Heilbronn

Heilbronn is not only an industrial city of repute, it is also famous as the second largest wine-growing town in Germany. Favored by its situation at the intersection of several important trade routes, it had already achieved importance as a commercial center in the Middle Ages. St. Kilian's Church with its early Gothic nave, and the Town Hall with its fine astronomical clock, have been reconstructed as they were, before being severely damaged in the Second World War.

Heilbronn

ville connue non seulement comme centre industriel mais aussi comme deuxième commune viticole d'Allemagne. Favorisée par le carrefour de plusieurs voies commerciales, elle était importante dès le moyen âge. La guerre a épargné église gotique et hôtel de ville, bâti en 1417 et restauré en 1579, qui est particulièrement remarquable du fait de son horloge astronomique.

Besigheim

The little medieval town of Besigheim is situated on the Neckar to the north of Stuttgart in a countryside of vine-covered slopes and orchards, looking, with its encircling wall and Romanesque towers, like a vision of the past. The carved altar of the church is accounted one of the best examples of German early Gothic. From this vantage point the Romans were able to command the river landscape.

Besigheim

Au Nord de Stuttgart, parmi vignes et vergers, la cité médiévale de Besigheim, avec son rempart et ses tours romanes se dresse comme une vision du passé. L'autel sculpté dans le bois de l'église paroissiale passe pour être un des meilleurs vestiges du début du gothique allemand. C'est d'ici que les Romains ont dominé les environs.

Maulbronn Monastery

About 800 years ago, in the region between the lower Neckar and the Black Forest, the Cistercian monks built an abbey. With its silent cloister and its Fountain Chapel, where a spring flows into a three-tiered basin, the Abbey, built in 1141, remains preserved in its entirety as an example of monastic diligence and creative effort. Today, it accommodates a Protestant theological seminary.

Monastère de Maulbronn

Il y a 800 ans environ, les Cisterciens ont construit ici un monastère entre Neckar et Forêt-Noire. Avec son cloître calme et sa chapelle de la fontaine à trois bassins, l'édifice, datant de 1141, est un exemple du labeur et de la création artistique des moines.

Markgröningen

Every year, on St. Bartholomew's Day, 24th August, this small Swabian town celebrates a genuine folk festival, the Shepherds' Races. It is mentioned in documents as far back as 1443 and is based on a saga, handed down by word of mouth, about the faithful shepherd Bartholomew. All the houses are decorated with flags and the whole town joins in the festival with the Swabian feeling for tradition.

Markgröningen

Tous les ans, le 24 août, la petite ville souabe célèbre une vraie fête populaire, la « course des bergers », déjà mentionée par écrit dès 1443, qui provient d'une légende, rapportée oralement, du fidèle berger Barthélémy. La ville entière, aux fenêtres ornées de drapeaux, y participe, car le Souabe a le sens de la tradition.

DRESDNER BANK

Karlsruhe

The former capital of Baden, with its streets (there were originally thirty-two of them) fanning out from the palace, is the result of a typically baroque whim of one of its rulers at the beginning of the 18th century. In the 19th century, the town was thoroughly renovated and, under the direction of the famous architect Friedrich Weinbrenner, was given a neoclassic appearance. The Protestant church displays the style of an ancient Greek temple.

Carlsruhe

L'ancienne capitale du Pays de Bade est, avec ses rues partant du château, en éventail (32 à l'origine), le résultat d'un caprice princier de l'époque baroque. Entièrement rénovée au XIXème s., la ville reçut, sous l'impulsion de l'architecte Weinbrenner, un aspect du classique finissant. L'église protestante se présente, sur la place du marché, dans le style d'un temple antique.

Baden-Baden

The healing springs in the Oos valley were known to the Roman Emperor Caracalla, who had a town built round them. This town was destroyed in the 3rd century and it was not until 900 years later that it regained repute and prestige. Since then it has developed into the elegant international spa which its favorable situation in the Black Forest, good climatic conditions, and hot mineral springs (the hottest is 68 °C when it leaves the ground) destined it to become.

Baden-Baden

L'empereur Caracalla avait déjà bâti dans la vallée de l'Oos une ville qui fut détruite au IIIème s. Ce n'est que 900 ans plus tard que la ville fut à nouveau célèbre, et devint une élégante station internationale. Son climat favorable et ses sources (dont la plus chaude a 68° Celsius) en sont les conditions. Photo: le casino.

Freudenstadt

In the highest town of the Württembergian Black Forest the much-sung "Miracle of Freudenstadt" has been accomplished — after suffering almost total destruction in the Second World War, it has regained its old serene and gay appearance. The houses round the spacious *Marktplatz* (market square) are once again enlivened with arcading, the church, with its two naves, again forms a right-angle at one corner of it, and altogether Freudenstadt is a picture of Swabian ease and charm.

Freudenstadt

La ville de la Forêt-Noire wurtembergeoise à l'altitude la plus élevée a réalisé le fameux « miracle de Freudenstadt », en retrouvant son ancien aspect radieux après une destruction presque totale en 1945. Les maisons de la grande place du marché sont allégées comme autrefois par des arcades, et avec son église aux deux nefs à angle droit (commencée en 1601), Freudenstadt offre une image authentique de l'agrément souabe.

The Black Forest near Präg

The Black Forest offers more richly varied scenery than any other region of Germany. Dark forests alternate with sunlit grassy slopes, quiet lakes with rushing torrents. Wood-work and clock-making have always been economically important to the Black Forest. The cuckoo-clocks, once carved in the scattered houses with their typical low-reaching roofs, and now factory-produced, are world famous.

La Forêt-Noire du côté de Präg

Il n'y a guère de paysage en Allemagne qui présente la variété d'aspects de la Forêt-Noire. Les sombres forêts alternent avec les claires prairies, les lacs calmes avec les torrents impétueux. Le travail du bois et la fabrication des horloges ont depuis toujours donné à la Forêt-Noire l'importance économique qui est la sienne. La «pendule à coucou», autrefois faite dans les maisons isolées à la typique toiture surbaissée et aujourd'hui fabriquée de façon industrielle, a acquis une célébrité mondiale.

Rottweil

This old town on the slopes of the Neckar with its beautiful churches — they formed the core of the Roman settlement *Arae Flaviae* — is the scene each year of the traditional Alemannic carnival. In the early dawn on Carnival Monday, the streets are alive with merry jostling crowds assembled to watch the carnival procession as it progresses in the traditional step, the *Narrensprung* (fool's leap). Masks and costumes are kept true to the historical originals.

Rottweil

La vieille cité posée avec ses belles églises sur les hauteurs du Neckar — c'est là le noyau de la colonie romaine *Arae Flaviae* — revit tous les ans la fête traditionnelle du carnaval alémanique. Une agitation bariolée règne dans toutes les rues, dès l'aube du lundi de carnaval, lorsque commence le « saut des fous », le défilé de carnaval accueilli par des cris d'allégresse. Les masques et les costumes sont la reproduction fidèle des modèles historiques originaux.

Freiburg in the Breisgau

Looking down from the Cathedral, we view the bustling market square with the *Kaufhaus* (Merchants' Hall), dating from the first half of the 16th century. The imposing arcaded façade, with the elegant oriel-windows at the sides, is a jewel among the buildings of this famous university city. It is surpassed only by the Cathedral, whose filigreed tower is unique in Germany. This perfect specimen of Gothic architecture took 300 years to complete.

Fribourg-en-Brisgau

Du haut de la cathédrale, on peut voir la place du marché, pleine d'animation avec son «Vieux Magasin», un bâtiment qui date de la première moitié du XVIème siècle. La façade faite pour représenter, avec sa galerie et ses encorbellements élégants, est un joyau parmi les édifices de la célèbre ville universitaire. Elle n'est surpassée que par la cathédrale, dont la tour, avec sa pointe faite à la façon d'un filigrane, est unique en Allemagne. La construction de cette merveille que représente la cathédrale de Fribourg a pris trois siècles, de 1200 à 1515.

Staufen Castle

In the middle of the wine-growing district of Baden, the Breisgau, the ruins of Staufen Castle rise up from the plain on the doorstep of the Black Forest. Its former rulers were the Counts of Zähringen, who built their castle in the 12th century on the remains of an earlier Roman fort. From here one can see far over the Rhine plain to the Vosges Mountains. The best wines of Baden are held in general esteem.

Le Château fort de Staufen

Au milieu de la région vinicole badoise qu'est le Brisgau, se dresse la ruine du château fort ou bourg de Staufen, dans la plaine face à la Forêt-Noire. Ses anciens seigneurs étaient les ducs de Zähringen, qui, au XIIème siècle, avaient édifié leur château sur les restes d'une ancienne fortification romaine. D'ici, on voit les Vosges, bien au-delà de la plaine rhénane. Les meilleurs crus du pays de Bade jouissent d'une grande faveur auprès du public.

The Titisee

The Titisee is one of the most impressive of the lakes in the southern part of the Black Forest. It has formed, 130 ft. deep and one-and-a-quarter miles across, in the bed of an ice-age glacier, a piece of primeval landscape in the middle of somber woods. At the turn of the century, there was just one inn there: today, a whole colony of hotels caters for the physical well-being of the countless guests who come here every year.

Le Titisee

Parmi les lacs du sud de la Forêt-Noire, le Titisee est particulièrement impressionnant. Profond de 40 mètres et long de 2 kilomètres, il s'est constitué dans une vallée glaciaire formée lors des glaciations. C'est un peu de paysage primitif au milieu de sombres forêts. Au début de ce siècle, il n'y avait là qu'une seule auberge; aujourd'hui, toute une colonie d'hôtels prend soin du bien-être des nombreux estivants qui descendent ici tous les ans.

The Feldberg

The Feldberg in the Black Forest (4898 ft.) is the highest point of the second-largest mountain range in Germany, a massif of gneiss, split up by five valleys. In character it is alpine, especially in spring when the typically alpine flora appear there. From its summit one has an extensive view on all sides — to the Swiss Alps, the volcanic cones of the Hegau Mountains, the Vosges Mountains, and the Black Forest. In winter, thousands of skiers disport on its slopes, which are an ideal ski-ing ground.

Le Feldberg

Avec ses 1493 mètres d'altitude, le Feldberg est le sommet de la Forêt-Noire, montagne moyenne occupant le second rang en Allemagne sous le rapport de l'altitude et formée par un massif de gneiss que divisent cinq vallées. Le Feldberg a un caractère alpin, surtout au printemps et ce grâce à sa flore. Du haut de son sommet, on jouit d'un large panorama qui embrasse les Alpes suisses, le cône volcanique du Hegau, les Vosges et la Forêt-Noire. En hiver, des milliers d'amateurs de sport d'hiver s'ébattent sur ses pentes, qui constituent un terrain de ski idéal.

Säckingen

A covered wooden bridge, 660 ft. long, dating from the 15th century, connects the town of Säckingen on the Upper Rhine with the Swiss bank of the river. About the year 500 A. D., St. Fridolin is believed to have set up a missionary chapel here, round which the town later developed. His bones are contained in a precious rococo reliquary in St. Fridolin's Cathedral. The small town, with its castle and towers, possesses the whole charm of such riverside frontier towns.

Säckingen

Un pont couvert de bois datant du XVème siècle et long de 220 mètres relie la ville de Säckingen, située sur le cours supérieur du Rhin, à la rive suisse. Aux alentours de l'an 500 après J. C., Saint Fridolin aurait fondé, sur l'île au milieu du Rhin, une station de mission autour de laquelle la ville devait se développer plus tard. Dans la cathédrale St. Fridolin se trouvent ses ossements, enfermés dans un précieux reliquaire rococo. La petite ville, avec son château et ses tours, renferme tout le charme des villes-frontière situées au bord d'un fleuve.

Constance

The city of Constance, where in 1415 the Bohemian religious reformer John Huss was burnt at the stake, is situated at the point where the Rhine flows out of Lake Constance. In the massive building on the shore of the Lake, a former storehouse of the 13th century, mistakenly called the *"Konzilhaus"* (Council Hall), an annual Music Festival takes place. The time-honored Cathedral, built on the site of a former Roman fort, and the Renaissance Town Hall (1484) with its two inner courtyards, are among the many sights of the city.

Constance

C'est à l'endroit où le Rhin quitte le lac de Constance que se trouve la ville du même nom, dans laquelle en l'an 1415, le réformateur tchèque Jan Hus périt sur le bûcher. C'est dans le puissant édifice aux bords du lac, un ancien dépôt du XIIIème siècle, baptisé à tort « Maison du Concile » qu'ont lieu tous les ans les Semaines Musicales de Constance. A part la vénérable cathédrale, construite sur les fondements et à la place d'une ancienne fortification romaine, l'Hôtel de ville, de style Renaissance (1484), avec ses deux cours intérieures, fait partie des curiosités de la ville.

Überlingen

Gracefully nestled in between the shore of Lake Constance and the slopes of the orchard hinterland, and enjoying an almost subtropical climate, lies the old town of Überlingen. Its silhouette is characterised by the tower of the Gothic St. Nicholas's Cathedral, which contains the dramatically effective high altar, the work of Jörg Zürn. Noble patrician houses are reminders of Überlingen's prosperity; town walls, moats, and towers tell of its former military strength.

Überlingen

Grâcieusement blottie entre les bords du lac de Constance et les collines de l'arrière-pays riche en fruits, la vieille ville d'Überlingen est située sous un climat que l'on pourrait presque qualifier de subtropical. Sa silhouette est déterminée par la tour de la cathédrale gothique dédiée à St Nicolas, qui contient le Grand-Autel (1613—1616), œuvre aux formes tourmentées de Jörg Zürn. D'imposantes maisons bourgeoises rappellent la prospérité d'Überlingen, tandis que les murailles d'enceinte, les fossés et les tours gardent le souvenir de son ancien caractère guerrier.

Neubirnau on Lake Constance

Not far from Überlingen, on the slopes above Lake Constance, stands a little church of pilgrimage, St. Mary's Church near Birnau. In the 13th century it was an unassuming shrine to the Holy Virgin, the present church being built in the 18th century in exuberant baroque style, a light-flooded room with beautiful stuccowork and droll cherubims.

Neubirnau, aux bords du lac de Constance

A peu de distance d'Überlingen se dresse, au-dessus des collines qui dominent le lac de Constance, l'église Ste Marie de Birnau, qui est un centre de pèlerinage. L'église qui, dès le XIIIème siècle, était un modeste sanctuaire consacré à la Vierge Marie, fut construite au sommet de l'époque baroque dans sa forme actuelle, une salle inondée de lumière et dotée de beaux ornements en stuc et d'amusantes figures de chérubins.

The course of the Danube at Werenwag Castle

Rising in the Baar, a mountain plateau in the south of the Black Forest, the Danube seeps away into the earth near Immendingen and makes its appearance again about twelve miles further on as a river-head, gushing out at the rate of over 2,000 gallons a second. At Werenwag Castle it breaks its way through the white limestone of the Swabian Jurassic formation. Castles, chapels, and palaces accompany its course. White chalk cliffs, the blue of the water, and magnificent beech woods give this landscape its characteristic coloring.

La percée du Danube près du château de Werenwag

Jaillissant du moyen plateau du Baar, le Danube s'enfonce dans le sol près d'Immendingen et réapparaît une vingtaine de km plus loin avec un débit de 10 000 litres par seconde; c'est la source de l'Aach. Près du château fort de Werenwag, il perce les calcaires blancs du Jura souabe. Des châteaux forts, des chapelles et des châteaux accompagnent son cours. Les blancs rochers calcaires, le bleu de l'eau et les magnifiques forêts de hêtres donnent à ce paysage son coloris.

Tübingen

The time-honored university town on the steep bank of the upper Neckar accommodates a famous Protestant school of theology. From the height, the massive Castle of Hohentübingen dominates the scene. The market square with its colorfully painted Town Hall (1435) is one of the best-preserved buildings from early times. St. George's Church, rising above the medley of gabled roofs, looks back on a long architectural history.

Tubingue

La vénérable ville universitaire située sur les berges escarpées du Haut-Neckar possède le célèbre « Stift », la Fondation, internat pour étudiants de théologie protestante. Du haut de la ville domine la masse imposante du château du Haut-Tubingue. La place du marché, avec son hôtel de ville à façade peinte (1435) est l'une des places les mieux conservées de cette époque reculée. L'église collégiale St Georges, surplombant le labyrinthe de pignons de la ville, a une longue histoire derrière elle.

Hohenzollern Castle

The seat of the Hohenzollern dynasty rises up from one of the proudest peaks of the southern Swabian Alb. About a century ago, the castle, caught up in the enthusiasms of a late Romantic movement, was altered to its present form with the many towers, gates, drawbridges — reminiscent of the romantic and chivalric ideals of the Middle Ages.

Le château fort de Hohenzollern

Sur l'une des plus fières croupes du sud de l'Alb Souabe se dresse le château, berceau de l'ancienne famille régnante des Hohenzollern. Il y a un siècle environ, le château fort reçut sa forme actuelle sous l'effet d'un romantisme tardif, de là ses nombreuses tours, ses portes monumentales et ses ponts-levis: c'est une réminiscence d'un idéal médiéval et chevaleresque.

78

MÖBEL
-BESTECKE
NKARTIKEL
Scholz
HAGMANN
2
26

Reutlingen

The medieval center of Reutlingen has been preserved unchanged up to the present day. Its St. Mary's Church rises high up, one of the finest and oldest Gothic churches in Baden-Württemberg. But the untouched character of the old part of the town cannot disguise the fact that, after the last war, large parts of Reutlingen were rebuilt in very modern style. It has for some long time possessed important industries.

Reutlingen

Le noyau de la cité médiévale de Reutlingen est resté intact jusqu'à nos jours. Là se dresse l'église Ste Marie, l'une des plus belles et des plus anciennes églises gothiques du Land. Le bon état de conservation du cœur de la cité ne doit pas faire oublier que de grandes parties du reste de la ville ont été reconstruites de façon très moderne après la dernière guerre. La ville est dotée depuis longtemps d'une importante industrie.

Esslingen on the Neckar

Still surrounded today by a stout wall, this medieval Swabian town has developed into an active industrial center. Its secular heart was formed by the Town Hall (1430) and the two market places, which were of great importance in the economic life of the town. Of Esslingen's many churches, the Church of St. Denis (shown in the picture), with its twin towers connected by a covered way, gives a special note to the silhouette of the town.

Esslingen, aux bords du Neckar

Aujourd'hui encore, une muraille d'enceinte entoure cette cité médiévale souabe, qui est devenue un centre industriel plein de vitalité. Sa vie profane se trouvait autrefois centré autour de son hôtel de ville (datant de 1430) et des deux places du marché, qui jouaient un rôle important dans la vie économique de la ville. Parmi les nombreuses églises d'Esslingen, l'église St Denys (reproduite ici), avec ses deux tours reliées entre elles par un passage couvert, ajoute un accent particulier à la silhouette de la ville.

Wiesensteig

The countryside of the Swabian Alb with its ever-changing scenery is full of surprises. Here and there heights rise up to 3,000 ft.; in other parts, deep valleys have been delved in the rock formation. Volcanic lakes and stalactite caves make it especially fascinating. In modern times the Alb has been opened up to traffic by the construction of Autobahns. Here we see the road climbing to the top of the Alb at Wiesensteig with its parish church of St. Cyriacus.

Wiesensteig

Le paysage de l'Alb Souabe ne cesse d'étonner par son aspect continuellement changeant. A certains endroits, l'Alb s'élève à 1000 m d'altitude, à d'autres, de profondes vallées s'enfoncent dans le rocher. D'anciens cratères et des grottes de stalactites et stalagmites lui donnent un charme particulier. L'époque contemporaine a commencé sa mise en valeur grâce aux autoroutes. Ici, l'on voit monter l'autoroute à la hauteur de l'Alb, près de Wiesensteig et son église paroissiale St Cyriaque.

Ulm

The mighty floodlit tower of the Cathedral rises high above the Danube and the gabled roofs of the town. There is hardly another German church whose history is as chequered as that of this Cathedral, begun in the 14th and completed in the 19th century. Its favorable situation on intersecting trade routes allowed the ancient Alemannic settlement to develop rapidly into a market town and then into the important manufacturing town it is today.

Ulm

Baignée dans la lumière des projecteurs électriques, la puissante tour de la cathédrale qui, avec 161 mètres de hauteur, est la plus élevée d'Allemagne, se dresse au-dessus du Danube et des pignons de la ville. Il n'y a guère d'église allemande qui ait connu une histoire aussi mouvementée que cette cathédrale, dont la construction, commencée au XIVème siècle, n'a été menée à bonne fin qu'au XIXème siècle. Grâce à sa situation favorable par rapport aux voies de communication, la vieille colonie alémanique s'est rapidement transformée en un gros marché et est aujourd'hui une importante ville industrielle.

öniggasse
BLUMENSTRAUSS
Geishaber

Biberach

Stately houses and cloister garths from the 16th century still form the well-preserved nucleus of the old part of the town with its two Town Halls and its Gothic basilica, St. Martin's Church (shown in the picture). Even in medieval times Biberach was a vigorous trading town, having connections with Geneva, Lyons, and Antwerp. Today, it has developed important industries.

Biberach

D'importantes maisons bourgeoises et des monastères datant du XVIème siècle constituent le vieux centre de la ville, en bon état de conservation, avec ses deux hôtels de ville et la basilique gothique de son église St Martin (représentée ici). Active cité commerçante dès le Moyen Age et entretenant des relations avec Genève, Lyon et Anvers, Biberach s'est transformée en une importante ville industrielle.

Ravensburg

The many towers of Ravensburg are still the characteristic feature of the town which came into being in the 12th century on the site of a fortress. As the most important trading center in Upper Swabia in the Middle Ages, Ravensburg made and exported materials and imported safran, sugar, spices, and jewels.

Ravensbourg

Les nombreuses tours de Ravensbourg constituent aujourd'hui encore la caractéristique de la ville, née au XIIème siècle sur les bases d'un château fort. Importante ville commerçante de la Haute Souabe, Ravensbourg a exporté ses produits au Moyen Age et importé du safran, du sucre, des épices et des pierres précieuses.

The Allgäu

A state with highly developed industries needs electric power, and so four roller dams were constructed on the Iller, a tributary of the Danube in the southern tip of *Land* Baden-Württemberg. Together they wrest approximately 43,000 kilowatts from the river. Our picture shows the roller dam near Aitrach in the Swabian Allgäu, a place famous for cattle-breeding and dairy farming. The roller dams on the Iller also prevent the river from overflowing its banks, as it frequently used to do.

L'Allgäu

Un pays doté d'une industrie hautement développée a besoin d'énergie. C'est pourquoi l'on a construit sur l'Iller, un affluent du Danube situé dans la pointe sud du Land de Bade-Wurtemberg, quatre barrages, qui tirent du fleuve 43.000 kW d'énergie. Notre illustration représente le barrage près d'Aitrach, un endroit de l'Allgäu souabe réputé pour l'élevage du bétail et la production du lait. Les barrages de l'Iller empêchent en même temps les inondations du fleuve, autrefois si nombreuses, de se produire.

The publisher wishes to thank the photographers listed below whose contributions made this book possible. The figures indicate the page numbers of the illustrations.

L'éditeur remercie les photographes dont les noms suivent, qui rendaient possible la publication du présent ouvrage. Les chiffres se rapportent au pages sur lesquelles se trouvent les reproductions.

Toni Schneiders, Lindau 20, 28, 43, 64, 68, 72, 76, 91
Dieter Geißler, Stuttgart 16, 19, 23, 55, 84
Gerhard Klammet, Ohlstadt 24, 40, 80, 83, 88
Brugger Luftbild, Stuttgart 15, 27, 39, 92
C. L. Schmitt, München 67, 75, 79
Siegfried Lauterwasser, Überlingen 63, 71
Lossen-Foto, Heidelberg 31, 36
Erich Bauer, Karlsruhe 48
Bertram Luftbild, München 52
Leif Geiges, Staufen 59
Robert Häusser, Mannheim 60
Klaus Hofmann, Maulbronn 44
Müller-Brunke/Kinkelin, Frankfurt/M. 51
Claus Paysan, Stuttgart 56
Verkehrsamt der Stadt Ulm 87
Hans Wehnert, Wertheim 32
Werbestudio Hauck, Mannheim 35
Ludwig Windstoßer, Stuttgart 47